LOVE
YOURSELF

結

Answer

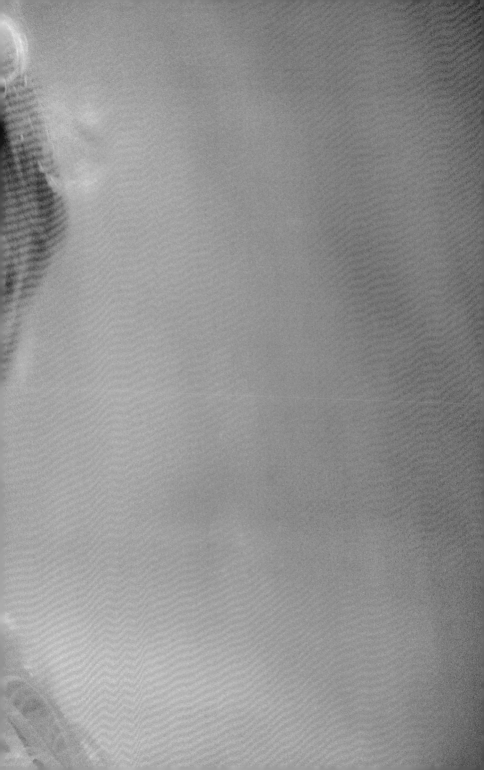

LOVE
YOURSELF

結

Answer

A

Produced by Jordan "DJ Swivel" Young
(Jordan "DJ Swivel" Young, Candace Nicole Sosa, Melanie Joy Fontana,
"hitman"bang, Supreme Boi, ADORA, RM)

Guitar
Candace Nicole Sosa

All other Instrument
Jordan "DJ Swivel" Young

Chorus
Jung Kook, ADORA

Additional Production
Slow Rabbit

Vocal Arrangement
Slow Rabbit

Digital Editing
ADORA, Hiss noise, 정우영

Recording Engineers
Slow Rabbit @ Carrot Express
ADORA@ Adorable Trap

Mix Engineer
Jordan "DJ Swivel" Young for DJ Swivel Music LLC

Euphoria

너는 내 삶에 다시 뜬 햇빛
어린 시절 내 꿈들의 재림
모르겠어 이 감정이 뭔지
혹시 여기도 꿈속인 건지

꿈은 사막의 푸른 신기루
내 안 깊은 곳의 a priori
숨이 막힐 듯이 행복해져
주변이 점점 더 투명해져

저기 멀리서 바다가 들려
꿈을 건너서 수풀 너머로
선명해지는 그 곳으로 가
Take my hands now
You are the cause of my euphoria

Euphoria

Take my hands now
You are the cause of my euphoria

Euphoria

Close the door now
When I'm with you I'm in utopia

너도 나처럼
지워진 꿈을 찾아 헤맸을까
운명 같은 흔한 말관 달라
아픈 너의 눈빛이 나와 같은 곳을 보는 걸
Won't you please stay in dreams

저기 멀리서 바다가 들려
꿈을 건너서 수풀 너머로
선명해지는 그 곳으로 가
Take my hands now
You are the cause of my euphoria

Euphoria

Take my hands now
You are the cause of my euphoria

모래 바닥이 갈라진대도
그 누가 이 세곌 흔들어도
잡은 손 절대 놓지 말아줘
제발 꿈에서 깨어나지 마

저기 멀리서 바다가 들려
꿈을 건너서 수풀 너머로
(제발 꿈에서 깨어나지 마)
선명해지는 그 곳으로 가
Take my hands now
You are the cause of my euphoria

Euphoria

Take my hands now
You are the cause of my euphoria

Euphoria

Close the door now
When I'm with you I'm in utopia

Produced by Hiss noise
(Hiss noise, j-hope)

Keyboard
Hiss noise

Synthesizer
Hiss noise, Pdogg

Chorus
j-hope, ADORA

Moog Bass
Pdogg

Vocal & Rap Arrangement
j-hope

Digital Editing
Hiss noise, 정우영, 051 Skater

Recording Engineers
ADORA @ Adorable Trap
j-hope @ Hope World

Mix Engineer
Yang Ga @ Big Hit Studio

Trivia 起 : Just Dance

내게 그 순간을 묻는다면
환하게 내리쬔 sunshine
그 느낌을 묻는다면
자연스레 내 눈에 one shot
그 분위기 속 음악을 틀고
각자의 스트레칭
긴장은 풀려 지금 내 마음을 숨긴다면
후회했어 너와의 sunset
Hey, dance with me dance with me
어떤 바운스도 좋아 dance with me
어디서 왔고, 왜 춤을 추고
자연스러운 대화 say something
이상해, 너무 잘 맞기에
뭐든지 잘 될 거 같아
But you're my Friend, yeah my
Friend
Just..

함께 하는 느낌이 좋아, 너와
함께 하는 춤들이 좋아, 너와
I just wanna, wanna, wanna
I really wanna, wanna, wanna
Just dance

음악의 리듬대로
그저 몸이 가는대로
우린 달빛 아래 shadow
Fall in.. fall in..

함께 하는 느낌이 좋아, 너와
함께 하는 춤들이 좋아, 너와
I just wanna, wanna, wanna
I really wanna, wanna, wanna
Just dance

Uh 진흙 같은 내 삶 속
Uh 한 송이 너란 꽃
Uh 꽉 막힌 연습실도
Uh 함께라면 낙원으로
Ay 답도 없던 꿈도 이제
Ay 공감대 형성이 매일 돼
Ay 우리의 리듬은 맞기에
춤이 있었기에, 그 운명적인 박
Let's get it on POP
웨이브로 물결치는 감
심장의 뜀박 하나 되는 동작
너로 알아가는 지금 내 마음
계속 이어 나가고 싶은 걸
춤을 좋아했듯이, 널
So you're my love, yeah my love
That's what I like

함께 하는 느낌이 좋아, 너와
함께 하는 춤들이 좋아, 너와
I just wanna, wanna, wanna
I really wanna, wanna, wanna
Just dance

음악의 리듬대로
그저 몸이 가는대로
우린 달빛 아래 shadow
Fall in.. fall in..

함께 하는 느낌이 좋아, 너와
함께 하는 춤들이 좋아, 너와
I just wanna, wanna, wanna
I really wanna, wanna, wanna
Just dance

느꼈어 baby
순간 너와 나 baby
그 모든 합이 공식같이 맞춰진 걸 baby
막연함도 baby
큰 힘듦도 baby
너 하나로 다 위로가 된다는 걸 baby

느꼈어 baby
순간 너와 나 baby
그 모든 합이 공식같이 맞춰진 걸 baby
거친 숨도 baby
흘린 땀도 baby
너 하나로 다 의미가 된다는 걸 baby

함께 하는 느낌이 좋아, 너와
함께 하는 춤들이 좋아, 너와
I just wanna, wanna, wanna
I really wanna, wanna, wanna
Just dance

Produced by Slow Rabbit
(Slow Rabbit, Ray Michael Djan Jr,
Ashton Foster, RM, "hitman"bang)

Keyboard
Slow Rabbit

Synthesizer
Slow Rabbit

Additional Programming
Pdogg

Chorus
JUNE, ADORA

Guitar
김승현

Vocal Arrangement
Slow Rabbit

Recording Engineers
Slow Rabbit @ Carrot Express
정우영 @ Big Hit Studio
ADORA @ Adorable Trap

Mix Engineer
Yang Ga @ Big Hit Studio

Serendipity
(Full Length Edition)

이 모든 건 우연이 아냐
그냥 그냥 나의 느낌으로
온 세상이 어제완 달라
그냥 그냥 너의 기쁨으로

니가 날 불렀을 때
나는 너의 꽃으로
기다렸던 것처럼
우린 시리도록 피어
어쩌면 우주의 섭리
그냥 그랬던 거야
U know I know
너는 나 나는 너

설레는 만큼 많이 두려워
운명이 우릴 자꾸 질투해서
너만큼 나도 많이 무서워
When you see me
When you touch me

우주가 우릴 위해 움직였어
조금의 어긋남조차 없었어
너와 내 행복은 예정됐던 걸
Cuz you love me
And I love you

넌 내 푸른 곰팡이
날 구원해 준
나의 천사 나의 세상

난 네 삼색 고양이
널 만나러 온
Love me now touch me now

Just let me love you
Just let me love you
우주가 처음 생겨났을 때부터
모든 건 정해진 거였어
Just let me love you

넌 내 푸른 곰팡이
날 구원해 준
나의 천사 나의 세상

난 네 삼색 고양이
널 만나러 온
Love me now touch me now

Just let me love you
Just let me love you
우주가 처음 생겨났을 때부터
모든 건 정해진 거였어
Just let me love you

이젠 곁에 와줘
우리가 되어줘
I don't wanna let go no
그냥 맡기면 되는 거야
말 안 해도 느껴지잖아

별들은 떠 있고
우린 날고 있어
절대 꿈은 아냐
떨지 말고 내 손을 잡아
이제 우리가 되는 거야
Let me love you

Just let me love you
Just let me love you
우주가 처음 생겨났을 때부터
모든 건 정해진 거였어
Just let me love you

Let me love
Let me love you
Let me love
Let me love you

Produced by Pdogg
[Pdogg, "hitman"bang, KASS,
Supreme Boi, SUGA, RM]

Keyboard
Pdogg

Synthesizer
Pdogg

Chorus
Jung Kook
Supreme Boi
KASS
이신성

Guitar
정재필

Bass
이주영

Gang Vocal
RM
j-hope
Pdogg
Supreme Boi
KASS

Vocal Arrangement
Pdogg

Rap Arrangement
Pdogg

Recording Engineers
Pdogg @ Dogg Bounce
정우영 @ Big Hit Studio
KASS @ Kass Cave
Supreme Boi @ The Rock Pit

Mix Engineer
James F. Reynolds @ Schmuzik Studios

DNA

첫눈에 널 알아보게 됐어
서롤 불러왔던 것처럼
내 혈관 속 DNA가 말해줘
내가 찾아 헤매던 너라는 걸

우리 만남은 수학의 공식
종교의 율법 우주의 섭리
내게 주어진 운명의 증거
너는 내 꿈의 출처
Take it take it
너에게 내민 내 손은 정해진 숙명

걱정하지 마 love
이 모든 건 우연이 아니니까
우린 완전 달라 baby
운명을 찾아낸 둘이니까

우주가 생긴 그 날부터 계속
무한의 세기를 넘어서 계속
우린 전생에도 아마 다음 생에도
영원히 함께니까

이 모든 건 우연이 아니니까
운명을 찾아낸 둘이니까
DNA

I want it this love I want it real love
난 너에게만 집중해
좀 더 세게 날 이끄네
태초의 DNA가 널 원하는데
이건 필연이야 I love us
우리만이 true lovers

그녀를 볼 때마다 소스라치게 놀라
신기하게 자꾸만 숨이 멎는 게 참 이상해 설마
이런 게 말로만 듣던 사랑이란 감정일까
애초부터 내 심장은 널 향해 뛰니까

걱정하지 마 love
이 모든 건 우연이 아니니까
우린 완전 달라 baby
운명을 찾아낸 둘이니까

우주가 생긴 그 날부터 계속
무한의 세기를 넘어서 계속
우린 전생에도 아마 다음 생에도
영원히 함께니까

이 모든 건 우연이 아니니까
운명을 찾아낸 둘이니까
DNA

돌아보지 말아
운명을 찾아낸 우리니까
후회하지 말아 baby
영원히
영원히
영원히
영원히
함께니까

걱정하지 마 love
이 모든 건 우연이 아니니까
우린 완전 달라 baby
운명을 찾아낸 둘이니까

La la la la la
La la la la la
우연이 아니니까

La la la la la
La la la la la
우연이 아니니까
DNA

Produced by Matthew Tishler, Crash Cove
[Matthew Tishler, Allison Kaplan, RM]

Keyboard
Matthew Tishler

Synthesizer
Matthew Tishler
KASS

Additional Production
KASS

Chorus
Jung Kook

Vocal Arrangement
Slow Rabbit

Recording Engineer
Slow Rabbit @ Geimori Studio & Cloud Lodge SAPPORO

Mix Engineer
Yang Ga @ Big Hit Studio

Original Song Title
Illegal

Original Writer
Matthew Tishler, Allison Kaplan

Original Publisher
Laundromat Music, Quiet Lion Music

Sub-Publisher
Fujipacific Music Korea Inc.
Ekko Music Rights

보조개

꼭꼭 숨었다가 웃으면 나타나
어디서 온 걸까
거짓말하지마 천사가 맞잖아
니 정체가 뭐야

But you
그 미소는 잔인하다 못해
Cruel
그 볼을 못 봤어야 해
You
사실 진짜 위험한 건
너에게만 있는 거야

그 보조갠 illegal
안돼 위험해 oh yes
So I call you illegirl
존재 자체가 범죄

천사가 남긴 실수였나
아니면 진한 키스였나
그 보조갠 illegal
But I want it anyway anyway anyway

내게는 없어서 너에게만 있어서
이렇게 힘든 걸까
빠져 죽고 싶어 잠겨 죽고 싶어
넌 내게 호수야

Cause you
웃을 때면 어질어질해
True
너 제발 조심해줄래
You
사실 좀 더 위험한 건
너에게만 있는 거야

그 보조갠 illegal
안돼 위험해 oh yes
So I call you illegirl
존재 자체가 범죄

천사가 남긴 실수였나
아니면 진한 키스였나
그 보조갠 illegal
But I love it anyway anyway anyway

볼 때마다 마음이 위험해져
볼 때마다 점점 위험해져
Oh baby no hey
Oh baby no hey
이 세상에 있긴 너무 위험한 걸

그 보조갠 illegal
안돼 위험해 oh yes
So I call you illegirl
존재 자체가 범죄

천사가 남긴 실수였나
아니면 진한 키스였나
그 보조갠 illegal
But I want it anyway anyway anyway

Illegal
Illegal
But I want it anyway anyway anyway

Produced by Slow Rabbit
(Slow Rabbit, RM, Hiss noise)

Keyboard
Slow Rabbit

Synthesizer
Slow Rabbit

Guitar
이태욱

Bass
이주영

Horns Arrangement
Duane Benjamin

Horns
Erik Reichers

Chorus
RM, ADORA, JUNE

Gang Vocal
RM, ADORA, Hiss noise, Slow Rabbit, Supreme Boi, Pdogg

Additional Production
Pdogg, Hiss noise

Vocal & Rap Arrangement
RM

Digital Editing
Supreme Boi, ADORA, Hiss noise, Slow Rabbit

Recording Engineers
ADORA @ Adorable Trap
RM @ Mon Studio
Slow Rabbit @ Carrot Express
정우영 @ Big Hit Studio
Erik Reichers @ Echo Bar STUDIO in N.Hollywood

Mix Engineer
Bobby Campbell @ BC Mix

Trivia 承 : Love

Is this love
Is this love
Sometimes I know
Sometimes I don't
이 다음 가사 음
뭐라고 쓸까 음
너무 많은 말이 날 돌지만
내 마음 같은 게 하나 없어
그냥 느껴져
해가 뜨고 나면 꼭 달이 뜨듯이
손톱이 자라듯, 겨울이 오면
나무들이 한 올 한 올 옷을 벗듯이
넌 나의 기억을 추억으로 바꿀 사람
사람을 사랑으로 만들 사람
널 알기 전
내 심장은 온통 직선뿐이던 거야

난 그냥 사람, 사람, 사람
넌 나의 모든 모서릴 잠식
나를 사랑, 사랑, 사랑
으로 만들어 만들어
우린 사람, 사람, 사람
저 무수히 많은 직선들 속
내 사랑, 사랑, 사랑
그 위에 살짝 앉음 하트가 돼

I live so I love
I live so I love
(Live & love, live & love)
(Live & love, live & love)
I live so I love
I live so I love
(Live & love, live & love)
(If it's love, I will love you)

You make I to an O
I to an O
너 땜에 알았어
왜 사람과 사랑이 비슷한 소리가 나는지
You make live to a love
Live to a love
너 땜에 알았어
왜 사람이 사랑을 하며 살아가야 하는지
I와 U의 거린 멀지만
F*** JKLMNOPQRST
모든 글잘 건너 내가 네게 닿았지
봐 내와 네도 똑같은 소리가 나잖아
그렇다고 내가 넌 아니지만
너의 책장의 일부가 되고파
너의 소설에 난 참견하고파
연인으로

난 그냥 사람, 사람, 사람
넌 나의 모든 모서릴 잠식
나를 사랑, 사랑, 사랑
으로 만들어 만들어
우린 사람, 사람, 사람
저 무수히 많은 직선들 속
내 사랑, 사랑, 사랑
그 위에 살짝 앉음 하트가 돼

I live so I love
I live so I love
(Live & love, live & love)
(Live & love, live & love)
I live so I love
I live so I love
(Live & love, live & love)
(If it's love, I will love you)

만약 내가 간다면 어떨까
내가 간다면 슬플까 넌
만약 내가 아니면 난 뭘까
결국 너도 날 떠날까

스치는 바람, 바람, 바람
(만 아니길 바랄 뿐)
흘러갈 사람, 사람, 사람
(만 아니길 바랄 뿐)
기분은 파랑, 파랑, 파랑
(머릿속은 온통 blue)
널 얼마나 마나 마나
얼마나 마나 마나

넌 나의 사람, 사람, 사람
넌 나의 바람, 바람, 바람
넌 나의 자랑, 자랑, 자랑
넌 나의 사랑 (나의 사랑)
단 한 사랑 (단 한 사랑)

넌 나의 사람, 사람, 사람
넌 나의 바람, 바람, 바람
넌 나의 자랑, 자랑, 자랑
넌 나의 사랑 (나의 사랑)
단 한 사랑 (단 한 사랑)

Produced by SUGA, Slow Rabbit
(SUGA, Slow Rabbit, RM, j-hope)

Keyboard
Slow Rabbit
SUGA

Synthesizer
Slow Rabbit

Bass
이주영

Rap Arrangement
Slow Rabbit
Supreme Boi

Recording Engineers
Slow Rabbit @ Carrot Express
RM @ Mon Studio
Supreme Boi @ The Rock Pit
SUGA @ Genius Lab
정우영 @ Big Hit Studio

Mix Engineer
Yang Ga @ Big Hit Studio

Her

The world is a complex
We wus lookin' for love
나도 그냥 그런 사람들 중 하나였어
진짜 사랑인지 뭔지 믿지도 않으면서
습관처럼 사랑하고 싶다 지껄였던
But I found myself
The whole new myself
나도 헷갈려 대체 어떤 게 진짜 난지
널 만나고 내가 책이란 걸 안 걸까
아님 니가 내 책장을 넘긴 걸까
Damn
어쨌든 난 네게 최고의 남자길 원해
아마 당연해 넌 내게 이 세계 그 자체였기에
죽을 거면 꼭 나와 같이 죽겠다던 때
니가 원하는 내가 되기로
God I swore to myself
So many complex
But I'm lookin' for love
가짜 나라도 좋아 니가 안아준다면
넌 내게 시작이자 결말 자체니까
니가 날 끝내주라

내 모든 wonder
에 대한 answer
I call you her, her
Cuz you're my tear, tear

내 모든 wonder
에 대한 answer
I call you her, her
Cuz you're my tear, tear

어쩌면 나는 너의 진실이자 거짓일지 몰라
어쩌면 당신의 사랑이자 증오
어쩌면 나는 너의 원수이자 벗
당신의 천국이자 지옥 때론 자랑이자 수모
난 절대 가면을 벗지 못해
이 가면 속의 난 니가 아는 걔가 아니기에
오늘도 make up to wake up
and dress up to mask on
당신이 사랑하는 내가 되기 위해
당신이 사랑하는 걔가 되기 위해서
그 좋아하던 XX도 끊었지
그저 당신을 위해서
싫어하는 옷도 과도한 메이크업도
당신의 웃음과 행복이 곧 내 행복의 척도
이런 내가 이런 내가
당신의 사랑 받을 자격 있을까
언제나 당신의 최고가 되기 위해 노력을 해
이런 모습은 몰랐음 해

내 모든 wonder
에 대한 answer
I call you her, her
Cuz you're my tear, tear

내 모든 wonder
에 대한 answer
I call you her, her
Cuz you're my tear, tear

늘 그랬듯이 mask on
환호로 날 반겨주는 her
그대만의 별. 아무 일 없이 빛나면서도
가장 빛나야 할 시간에 난 mask off
Lost star 내 짐을 내려놔 어둠을 즐겨
죽일 듯이 쏴대는 조명도 없으니 ye
그저 맘 가는 대로
감 닿는 대로, 날 안 잡는 대로
Tick tock the dark is over
다시 너의 최고가 되기 위해
내 자신을 붙잡어
사랑은 사람을 미치게 해
그래 미친놈의 각오
가장 나다운 식에 대입을 하고
전부인 너를 위해 내가 내린 해답을 줘
그걸 사랑해주는 너
그로 인해 노력하는 나
니 존재로 새로운 의미를 찾고 빛을 내는 밤
난 알았어 어둠이 끝나도
내겐 넌 아침이란 걸
You woke me up

내 모든 wonder
에 대한 answer
I call you her, her
Cuz you're my tear, tear

내 모든 wonder
에 대한 answer
I call you her, her
Cuz you're my tear, tear

Produced by Charlie
[Charlie J. Perry, RM]

Keyboard
Charlie J. Perry

Bass
Charlie J. Perry

Vocal Arrangement
Pdogg, Slow Rabbit

Digital Editing
ADORA, Hiss noise

Recording Engineers
Pdogg @ Dogg Bounce
Slow Rabbit @ Carrot Express

Mix Engineer
Yang Ga @ Big Hit Studio

Singularity

무언가 깨지는 소리
난 문득 잠에서 깨
낯설음 가득한 소리
귀를 막아보지만 잠에 들지 못해

목이 자꾸 아파와
감싸보려 하지만
나에겐 목소리가 없어
오늘도 그 소릴 들어

또 울리고 있어 그 소리가
이 얼어붙은 호수에 또 금이 가
그 호수에 내가 날 버렸잖아
내 목소릴 널 위해 묻었잖아

날 버린 겨울 호수 위로
두꺼운 얼음이 얼었네
잠시 들어간 꿈 속에도
나를 괴롭히는 환상통은 여전해

나는 날 잃은 걸까
아니 널 얻은 걸까
난 문득 호수로 달려가
그 속엔 내 얼굴이 있어

부탁해 아무 말도 하지 마
입을 막으려 손을 뻗어보지만
결국엔 언젠가 봄이 와
얼음들은 녹아내려 흘러가

Tell me 내 목소리가 가짜라면
날 버리지 말았어야 했는지
Tell me 이 고통조차 가짜라면
그때 내가 무얼 해야 했는지

Produced by Pdogg
[Pdogg, "hitman"bang, RM]

Keyboard
Pdogg

Synthesizer
Pdogg

Guitar
이태욱

Chorus
Jung Kook, Supreme Boi

Vocal & Rap Arrangement
Pdogg

Digital Editing
Pdogg, Hiss noise, Supreme Boi

Recoding Engineers
Pdogg @ Dogg Bounce
정우영 @ Big Hit Studio

Mix Engineer
James F. Reynolds @ Schmuzik Studios

FAKE LOVE

널 위해서라면 난
슬퍼도 기쁜 척 할 수가 있었어
널 위해서라면 난
아파도 강한 척 할 수가 있었어
사랑이 사랑만으로 완벽하길
내 모든 약점들은 다 숨겨지길
이뤄지지 않는 꿈속에서
피울 수 없는 꽃을 키웠어

I'm so sick of this
Fake Love Fake Love Fake Love
I'm so sorry but it's
Fake Love Fake Love Fake Love

I wanna be a good man just for you
세상을 줬네 just for you
전부 바꿨어 just for you
Now I dunno me, who are you?
우리만의 숲 너는 없었어
내가 왔던 route 잊어버렸어
나도 내가 누구였는지도 잘 모르게 됐어
거울에다 지껄여봐 너는 대체 누구니

널 위해서라면 난
슬퍼도 기쁜 척 할 수가 있었어
널 위해서라면 난
아파도 강한 척 할 수가 있었어
사랑이 사랑만으로 완벽하길
내 모든 약점들은 다 숨겨지길
이뤄지지 않는 꿈속에서
피울 수 없는 꽃을 키웠어

Love you so bad Love you so bad
널 위해 예쁜 거짓을 빚어내
Love it's so mad Love it's so mad
날 지워 너의 인형이 되려 해
Love you so bad Love you so bad
널 위해 예쁜 거짓을 빚어내
Love it's so mad Love it's so mad
날 지워 너의 인형이 되려 해

I'm so sick of this
Fake Love Fake Love Fake Love
I'm so sorry but it's
Fake Love Fake Love Fake Love

Why you sad? I don't know 난 몰라
웃어봐 사랑해 말해봐
나를 봐 나조차도 버린 나
너조차 이해할 수 없는 나
낯설다 하네 니가 좋아하던 나로 변한 내가
아니라 하네 예전에 니가 잘 알고 있던 내가
아니긴 뭐가 아냐 난 눈 멀었어
사랑은 뭐가 사랑 It's all fake love

[Woo] I dunno I dunno I dunno why
[Woo] 나도 날 나도 날 모르겠어
[Woo] I just know I just know I just know why
Cuz it's all Fake Love Fake Love Fake Love

Love you so bad Love you so bad
널 위해 예쁜 거짓을 빚어내
Love it's so mad Love it's so mad
날 지워 너의 인형이 되려 해
Love you so bad Love you so bad
널 위해 예쁜 거짓을 빚어내
Love it's so mad Love it's so mad
날 지워 너의 인형이 되려 해

I'm so sick of this
Fake Love Fake Love Fake Love
I'm so sorry but it's
Fake Love Fake Love Fake Love

널 위해서라면 난
슬퍼도 기쁜 척 할 수가 있었어
널 위해서라면 난
아파도 강한 척 할 수가 있었어
사랑이 사랑만으로 완벽하길
내 모든 약점들은 다 숨겨지길
이뤄지지 않는 꿈속에서
피울 수 없는 꽃을 키웠어

Produced by Steve Aoki
(Steve Aoki, Roland Spreckley, Jake Torrey,
Noah Conrad, Annika Wells, RM, Slow Rabbit)

Guitar
이태욱

Rhythm Programing
Slow Rabbit, ADORA

Chorus
Jung Kook, ADORA

Additional Production
Slow Rabbit

Vocal Arrangement
Pdogg, Slow Rabbit

Digital Editing
ADORA, Pdogg, Hiss noise

Recording Engineers
Pdogg @ Dogg Bounce
Slow Rabbit @ Carrot Express
ADORA @ Adorable Trap

Mix Engineer
Bob Horn @ Echo Bar STUDIO in N.Hollywood

전하지 못한 진심
(Feat. Steve Aoki)

외로움이 가득히
피어있는 이 garden
가시투성이
이 모래성에 난 날 매었어

너의 이름은 뭔지
갈 곳이 있긴 한지
Oh could you tell me?
이 정원에 숨어든 널 봤어

And I know
너의 온긴 모두 다 진짜란 걸
푸른 꽃을 꺾는 손
잡고 싶지만

내 운명인 걸
Don't smile on me
Light on me
너에게 다가설 수 없으니까
내겐 불러줄 이름이 없어

You know that I can't
Show you ME
Give you ME
초라한 모습 보여줄 순 없어
또 가면을 쓰고 널 만나러 가
But I still want you

외로움의 정원에 핀
너를 닮은 꽃
주고 싶었지
바보 같은 가면을 벗고서

But I know
영원히 그럴 수는 없는 걸
숨어야만 하는 걸
추한 나니까

난 두려운 걸
초라해
I'm so afraid
결국엔 너도 날 또 떠나버릴까
또 가면을 쓰고 널 만나러 가

할 수 있는 건
정원에
이 세상에
예쁜 너를 닮은 꽃을 피운 다음
니가 아는 나로 숨쉬는 것
But I still want you
I still want you

어쩌면 그때
조금만
이만큼만
용길 내서 너의 앞에 섰더라면
지금 모든 건 달라졌을까

난 울고 있어
사라진
무너진
홀로 남겨진 이 모래성에서
부서진 가면을 바라보면서
And I still want you
But I still want you
But I still want you
But I still want you

Produced by Slow Rabbit, SUGA
[Slow Rabbit, SUGA]

Keyboard
Slow Rabbit, SUGA

Synthesizer
Slow Rabbit, ADORA

Guitar
이태욱

Bass
이주영

Vocoder
Pdogg

Chorus
ADORA

Vocal & Rap Arrangement
SUGA, Slow Rabbit

Digital Editing
Supreme Boi, Slow Rabbit, ADORA, Hiss noise

Recording Engineers
ADORA @ Adorable Trap
SUGA @ Genius lab
Slow Rabbit@ Carrot Express
정우영 @ Big Hit Studio

Mix Engineer
Yang Ga @ Big Hit Studio

Trivia 轉 : Seesaw

시작은 뭐 즐거웠었네
오르락내리락 그 자체로
어느새 서로 지쳐버렸네
의미 없는 감정소모에

반복된 시소 시소게임
이쯤 되니 지겨워 지겨워 졌네
반복된 시소 시소게임
우린 서로 지쳐서 지겨워 졌네

사소한 말다툼이 시작이었을까
내가 너보다 무거워졌었던 순간
애초에 평행은 존재한 적이 없기에
더욱이 욕심내서 맞추려 했을까
사랑이었고 이게 사랑이란 단어의 자체면
굳이 반복해야 할 필요 있을까
서로 지쳤고 같은 카드를 쥐고 있는 듯해
그렇다면 뭐

All right 반복된 시소게임
이제서야 끝을 내보려 해
All right 지겨운 시소게임
누군간 여기서 내려야 돼
할 순 없지만

누가 내릴지 말진 서로 눈치 말고
그저 맘 가는 대로 질질 끌지 말고
이젠 내릴지 말지 끝을 내보자고
반복되는 시소게임
이젠 그만해

사람이 참 간사하긴 하지
한 명이 없음 다칠 걸 알면서
서로 나쁜 새낀 되기 싫기에
애매한 책임전가의 연속에 umm umm
지칠 만큼 지쳐서 되려 평행이 됐네
Ay 이런 평행을 바란 건 아닌데

처음에는 누가 더 무거운지
자랑하며 서롤 바라보며 웃지
이제는 누가 무거운지를 두고
경쟁을 하게 되었네
되려 싸움의 불씨
누군가는 결국 이곳에서
내려야 끝이 날 듯하네
가식 섞인 서롤 위하는 척
더는 말고 이젠 결정해야 돼

서로 마음이 없다면
서롤 생각 안 했다면
우리가 이리도 질질 끌었을까
이제 마음이 없다면
이 시소 위는 위험해 위험해
내 생각 더는 말고

All right 반복된 시소게임
이제서야 끝을 내보려 해
All right 지겨운 시소게임
누군간 여기서 내려야 돼
할 순 없지만

(Hol' up Hol' up) 니가 없는 이 시소 위를 걸어
(Hol' up Hol' up) 니가 없던 처음의 그때처럼
(Hol' up Hol' up) 니가 없는 이 시소 위를 걸어
(Hol' up Hol' up) 니가 없는 이 시소에서 내려

All right 반복된 시소게임
이제서야 끝을 내보려 해
All right 지겨운 시소게임
누군간 여기서 내려야 돼
할 순 없지만

누가 내릴지 말진 서로 눈치 말고
그저 맘 가는 대로 질질 끌지 말고
이젠 내릴지 말지 끝을 내보자고
반복되는 시소게임
이젠 그만해

(Hol' up Hol' up) 니가 없는 이 시소 위를 걸어
(Hol' up Hol' up) 니가 없는 처음의 그때처럼
(Hol' up Hol' up) 니가 없는 이 시소 위를 걸어
(Hol' up Hol' up) 니가 없는 이 시소에서 내려

Produced by DOCSKIM
(신명수, DOCSKIM, SUGA, RM, j-hope)

Piano
DOCSKIM

Keyboard
DOCSKIM

Synthesizer
DOCSKIM

Bass
DOCSKIM

Gang Vocal
Supreme Boi, RM, j-hope, SUGA

String Arrangement
DOCSKIM

Rap Arrangement
Supreme Boi, RM, j-hope, SUGA

Digital Editing
Supreme Boi

Recording Engineers
DOCSKIM @ Hoodcave 2.0
RM @ Mon Studio
j-hope @ Hope World
SUGA @ Genius Lab
Supreme Boi @ The Rock Pit

Mix Engineer
Ken Lewis for www.iProduceMusic.com

* Contains a sample from The Theme of
　"LOVE YOURSELF Highlight Reel 起承轉結"

이별은 내게 티어
나도 모르게 내 눈가 위에 피어
채 내뱉지 못한 얘기들이 흐르고
미련이 나의 얼굴 위를 기어
내게 넌 한때는 나의 dear
하지만 이젠 쓰기만 한 beer
때늦은 자기혐오로 얼룩진 심장은
스치는 저 바람에도 비어
이별은 거짓뿐이던 나의 연극 끝에
오고야 말았던 나의 댓가
누군가 시간을 되돌려준다면
어쩜 내가 좀 더 솔직할 수 있었을까
나만 아는 나의 그 맨얼굴도
추하고 초라한 내 안의 오랜 벗들도
나를 보던 그 미소로 여전히 넌 나를
그렇게 또 사랑해줄 수 있었을까
영원 영원 같은 소리 좀 그만해
어차피 원래 끝은 있는 거잖아
시작이 있다면.. I don't wanna listen to that
너무 맞는 소리 혹은 너무 많은 위로.. I don't wanna listen to that
그냥 너무 무서웠어
어쩜 내가 너를 사랑했던 적이 아예 없는 것 같아서
늦었지만 넌 진실했다고
너만 나를 사랑했다고
더

You're my tear
You're my you're my tear
You're my tear
You're my you're my tear
You're my tear
You're my you're my tear
What more can I say?
You're my tear

같은 곳을 향해 걸었었는데
이곳이 우리의 마지막이 돼
영원을 말하던 우리였는데
가차없이 서로를 부수네
같은 꿈을 꿨다 생각했는데
그 꿈은 비로소 꿈이 되었네
심장이 찢겨져 차라리 불 태워줘
고통과 미련 그 무엇도 남지 않게끔

같은 곳을 향해 걸었었는데
이 곳이 우리의 마지막이 돼
영원을 말하던 우리였는데
가차없이 서로를 부수네
같은 꿈을 꿨다 생각했는데
그 꿈은 비로소 꿈이 되었네
심장이 찢겨져 차라리 불 태워줘
고통과 미련 그 무엇도 남지 않게끔

You're my tear
You're my you're my tear
You're my tear
You're my you're my tear
You're my fear
You're my you're my fear
What more can I say?
You're my..

You're my tear
You're my you're my tear
You're my tear
You're my you're my tear
You're my fear
You're my you're my fear
What more can I say?
You're my..

이별은 내게 T.E.A.R
눈물 따위는 사치니까
아름다운 이별 따위는
없을테니 이제 시작해줘
Woo take it easy 천천히 심장을 도려줘
그래그래 조각이 나버린 파편 위를 즈려밟아줘
미련, 미련 그딴 게 더는 남지 않게
갈기갈기 찢어발겨버린 내 심장을 싹 불태워줘
옳지 그래 거기야 뭘 망설이니
니가 원하던 그 결말이니
망설임 없이 어서 죽여주길
Woo yeah yeah burn it
Woo yeah yeah yeah burn it
Woo yeah yeah yeah burn it
타버린 재마저 남지 않게

이게 진짜 너고 이게 진짜 나야
이젠 끝을 봤고 원망도 안 남아
달던 꿈은 깼고 나는 눈을 감아
이게 진짜 너고 이게 진짜 나야

어떤 말을 해야 할지
우리는 알고 있지
정답은 정해 있는데
늘 대답은 어렵지

왜 흘리는지
왜 찢어버리는지
소용없어 내게는
이별은 내겐 그 순간들뿐 (Flashback)
네 입에서 말을 하는 순간
우리의 초점이 불규칙해지는 순간
모든 게 위험한 순간에
두 글자가 준 우리의 끝
안 울 걸 안 찢을 걸
그런 말은 못 한다고 앞으로 나도
이별 불치병
넌 내 시작과 끝 That is all
나의 만남과 나의 이별
전부였어 앞으로 가 fear
반복될 거야 너로 인한
Tear
Tear..

Produced by Slow Rabbit
(Slow Rabbit, "hitman"bang, ADORA)

Keyboard
Slow Rabbit

Synthesizer
Slow Rabbit

Chorus
JUNE, ADORA, 이신성, Sam Klempner

Bass
이주영

Guitar
이태욱

Vocal Arrangement
Slow Rabbit

Digital Editing
Slow Rabbit

Recording Engineers
Pdogg @ Dogg Bounce
Slow Rabbit @ Carrot Express

Mix Engineer
Bob Horn @ Echo Bar STUDIO in N.Hollywood

Epiphany

참 이상해
분명 나 너를 너무 사랑했는데
뭐든 너에게 맞추고
널 위해 살고 싶었는데

그럴수록 내 맘속의
폭풍을 감당할 수 없게 돼
웃고 있는 가면 속의
진짜 내 모습을 다 드러내

I'm the one I should love in this world
빛나는 나를 소중한 내 영혼을
이제야 깨달아 so I love me
좀 부족해도 너무 아름다운 걸

I'm the one I should love
[흔들리고 두려워도 앞으로 걸어가]
[폭풍 속에 숨겨뒀던 진짜 너와 만나]

왜 난 이렇게
소중한 날 숨겨두고 싶었는지
뭐가 그리 두려워
내 진짜 모습을 숨겼는지

I'm the one I should love in this
world
빛나는 나를 소중한 내 영혼을
이제야 깨달아 so I love me
좀 부족해도 너무 아름다운 걸
I'm the one I should love

조금은 뭉툭하고 부족할지 몰라
수줍은 광채 따윈 안 보일지 몰라
하지만 이대로의 내가 곧 나인 걸
지금껏 살아온 내 팔과 다리 심장 영혼을

사랑하고 싶어 in this world
빛나는 나를 소중한 내 영혼을
이제야 깨달아 so I love me
좀 부족해도 너무 아름다운 걸
I'm the one I should love
I'm the one I should love

I'm the one I should love

Produced by Pdogg
[Pdogg, Ray Michael Djan, Ashton Foster, Lauren Dyson, RM, 정바비, 윤기타, Jordan "DJ Swivel" Young, Candace Nicole Sosa, SUGA, j-hope, Samantha Harper]

Keyboard
Pdogg

Synthesizer
Pdogg

Chorus
Jung Kook, ADORA

Gang Vocal
Pdogg, ADORA, Supreme Boi, Slow Rabbit, Hiss noise

Vocal Arrangement
Pdogg

Rap Arrangement
Pdogg, SUGA

Digital Editing
ADORA, Hiss noise, Supreme Boi

Recording Engineers
SUGA @ Genius lab
ADORA@ Adorable Trap
Pdogg @Dogg Bounce

Mix Engineer
James F. Reynolds @ Schmuzik Studios

* Contains a sample from BTS "Save ME"

I'm Fine

시리도록 푸른 하늘 아래 눈 떠
흠뻑 쏟아지는 햇살이 날 어지럽게 해
한껏 숨이 차오르고 심장은 뛰어
느껴져 너무 쉽게 나 살아있다는 걸

괜찮아 우리가 아니어도
슬픔이 날 지워도
먹구름은 또 끼고
나 끝없는 꿈 속이어도
한없이 구겨지고
날개는 찢겨지고
언젠가 내가 내가 아니게 된달지어도
괜찮아 오직 나만이 나의 구원이잖아
못된 걸음걸이로 절대 죽지 않고 살아
How you doin? Im fine
내 하늘은 맑아
모든 아픔들이여 say goodbye
잘 가

차가운 내 심장은
널 부르는 법을 잊었지만
외롭지 않은 걸 괜찮아 괜찮아
깜깜한 밤 어둠은
잠든 꿈을 흔들어 놓지만
두렵지 않은 걸 괜찮아 괜찮아

I'm feeling just fine, fine, fine
이젠 너의 손을 놓을게
I know I'm all mine, mine, mine
Cuz I'm just fine
I'm feeling just fine, fine, fine
더 이상은 슬프지 않을래
I could see the sunshine, shine, shine
Cuz I'm just fine, just fine

I'm just fine 내 아픔 다
이겨낼 수 있어 너 없이 나
I'm just fine 걱정 마
이젠 웃을 수 있고
네 목소린 모두 알아 주니까

I'm so fine, you so fine
슬픔과 상처는 모두 다
이미 지나간 추억이 됐으니
웃으며 보내주자고 we so fine
i'm so fine, you so fine
우리들 미래는 기쁨만
가득할 테니 걱정은 접어둔 채
이젠 즐겨 수고했어 we so fine

차가운 내 심장은
널 부르는 법을 잊었지만
외롭지 않은 걸 괜찮아 괜찮아
깜깜한 밤 어둠은
잠든 꿈을 흔들어 놓지만
두렵지 않은 걸 괜찮아 괜찮아

I'm feeling just fine, fine, fine
이젠 너의 손을 놓을게
I know I'm all mine, mine, mine
Cuz I'm just fine
I'm feeling just fine, fine, fine
더 이상은 슬프지 않을래
I could see the sunshine, shine, shine
Cuz I'm just fine, just fine

혹시
너에게도 보일까
이 스산한 달빛이
너에게도 들릴까
이 희미한 메아리가

I'm feeling just fine, fine, fine
혼자서라도 외쳐보겠어
되풀이될 이 악몽에
주문을 걸어
I'm feeling just fine, fine, fine
몇 번이라도 되뇌보겠어
또 다시 쓰러진대도
난 괜찮아

I'm feeling just fine, fine, fine
혼자서라도 외쳐보겠어
되풀이될 이 악몽에
주문을 걸어
I'm feeling just fine, fine, fine
몇 번이라도 되뇌보겠어
또 다시 쓰러진대도
난 괜찮아

I'm fine
I'm fine

Produced by Pdogg
(Pdogg, Supreme Boi, "hitman"bang, Ali Tamposi, Roman Campolo, RM)

Keyboard
Pdogg

Synthesizer
Pdogg

Chorus
Jung Kook, Supreme Boi

Gang Vocal
RM, j-hope, Jung Kook, Supreme Boi

Vocal Arrangement
Pdogg, Supreme Boi

Rap Arrangement
Pdogg, Supreme Boi

Digital Editing
Pdogg, Supreme Boi, ADORA, Hiss noise

Recording Engineers
Pdogg @Dogg Bounce
Supreme Boi @ The Rock Pit

Mix Engineer
James F. Reynolds @ Schmuzik Studios

IDOL

You can call me artist
You can call me idol
아님 어떤 다른 뭐라 해도
I don't care
I'm proud of it
난 자유롭네
No more irony
나는 항상 나였기에

손가락질 해, 나는 전혀 신경 쓰지 않네
나를 욕하는 너의 그 이유가 뭐든 간에
I know what I am
I know what I want
I never gon' change
I never gon' trade
(Trade off)

뭘 어쩌고 저쩌고 떠들어대셔
I do what I do, 그니까 넌 너나 잘하셔
You can't stop me lovin' myself

얼쑤 좋다
You can't stop me lovin' myself
지화자 좋다
You can't stop me lovin' myself

OHOHOHOH
OHOHOHOHOHOH
OHOHOHOH
덩기덕 쿵더러러
얼쑤

OHOHOHOH
OHOHOHOHOHOH
OHOHOHOH
덩기덕 쿵더러러
얼쑤

Face off 마치 오우삼, ay
Top star with that spotlight, ay
때론 슈퍼히어로가 돼
돌려대 너의 Anpanman
24시간이 적지
헷갈림, 내겐 사치
I do my thang
I love myself

I love myself, I love my fans
Love my dance and my what
내 속안엔 몇 십 몇 백명의 내가 있어
오늘 또 다른 날 맞이해
어차피 전부 다 나이기에
고민보다는 걍 달리네
Runnin' man
Runnin' man
Runnin' man

뭘 어쩌고 저쩌고 떠들어대셔
I do what I do, 그니까 넌 너나 잘하셔
You can't stop me lovin' myself

얼쑤 좋다
You can't stop me lovin' myself
지화자 좋다
You can't stop me lovin' myself

OHOHOHOH
OHOHOHOHOHOH
OHOHOHOH
덩기덕 쿵더러러
얼쑤

OHOHOHOH
OHOHOHOHOHOH
OHOHOHOH
덩기덕 쿵더러러
얼쑤

I'm so fine wherever I go
가끔 멀리 돌아가도
It's okay, I'm in love with my-my
myself
It's okay, 난 이 순간 행복해

얼쑤 좋다
You can't stop me lovin' myself
지화자 좋다
You can't stop me lovin' myself

OHOHOHOH
OHOHOHOHOHOH
OHOHOHOH
덩기덕 쿵더러러
얼쑤

OHOHOHOH
OHOHOHOHOHOH
OHOHOHOH
덩기덕 쿵더러러
얼쑤

Produced by Pdogg
(Pdogg, 정바비, Jordan "DJ Swivel" Young, Candace Nicole Sosa, RM,
SUGA, j-hope, Ray Michael Djan, Ashton Foster, Conor Maynard)

Keyboard
Pdogg

Synthesizer
Pdogg

Chorus
Jung Kook, ADORA

Bass
이주영

Guitar
이태욱

Vocal Arrangement
Slow Rabbit

Rap Arrangement
RM, SUGA, j-hope

Digital Editing
Hiss noise, 정우영

Recording Engineers
ADORA @ Adorable Trap
Slow Rabbit @ Carrot Express
정우영 @ Big Hit Studio

Mix Engineer
Jordan "DJ Swivel" Young for DJ Swivel Music LLC

Answer : Love Myself

눈을 뜬다 어둠 속 나
심장이 뛰는 소리 낯설 때
마주 본다 거울 속 너
겁먹은 눈빛 해묵은 질문

어쩌면 누군가를 사랑하는 것보다
더 어려운 게 나 자신을 사랑하는 거야
솔직히 인정할 건 인정하자
니가 내린 잣대들은 너에게 더 엄격하단 걸
니 삶 속의 굵은 나이테
그 또한 너의 일부, 너이기에
이제는 나 자신을 용서하자 버리기엔
우리 인생은 길어 미로 속에선 날 믿어
겨울이 지나면 다시 봄은 오는 거야

차가운 밤의 시선
초라한 날 감추려
몹시 뒤척였지만

저 수많은 별을 맞기 위해 난 떨어졌던가
저 수천 개 찬란한 화살의 과녁은 나 하나

You've shown me I have reasons
I should love myself
내 숨 내 걸어온 길 전부로 답해

어제의 나 오늘의 나 내일의 나
(I'm learning how to love myself)
빠짐없이 남김없이 모두 다 나

정답은 없을지도 몰라
어쩜 이것도 답은 아닌 거야
그저 날 사랑하는 일조차
누구의 허락이 필요했던 거야
난 지금도 나를 또 찾고 있어
But 더는 죽고 싶지가 않은 걸
슬프던 me
아프던 me
더 아름다울 美

그래 그 아름다움이
있다고, 아는 마음이
나의 사랑으로 가는 길
가장 필요한 나다운 일
지금 날 위한 행보는
바로 날 위한 행동
날 위한 태도
그게 날 위한 행복
I'll show you what i got
두렵진 않아 그건 내 존재니까
Love myself

시작의 처음부터
끝의 마지막까지
해답은 오직 하나

왜 자꾸만 감추려고만 해 니 가면 속으로
내 실수로 생긴 흉터까지 다 내 별자린데

You've shown me I have reasons
I should love myself
내 숨 내 걸어온 길 전부로 답해

내 안에는 여전히
서툰 내가 있지만

You've shown me I have reasons
I should love myself
내 숨 내 걸어온 길 전부로 답해

어제의 나 오늘의 나 내일의 나
(I'm learning how to love myself)
빠짐없이 남김없이 모두 다 나

LOVE
YOURSELF

結

Answer

B

Produced by Jung Kook, Hiss noise, ADORA
(Jung Kook, Hiss noise, RM, Jordan "DJ Swivel" Young,
Candace Nicole Sosa, ADORA, j-hope, SUGA)

Keyboard
ADORA, Hiss noise

Synthesizer
Jung Kook, ADORA, Hiss noise

Chorus
Jung Kook, ADORA

Bass
이주영

Guitar
이태욱, Hiss noise

Gang Vocal
BTS, Hiss noise, ADORA, Supreme Boi, Pdogg

Vocal Arrangement
ADORA, Slow Rabbit, Pdogg

Rap Arrangement
RM, j-hope, SUGA

Digital Editing
ADORA, 정우영

Recording Engineers
ADORA @ Adorable Trap
Slow Rabbit @ Carrot Express
정우영 @ Big Hit Studio
RM @ Mon Studio
j-hope @ Hope World
SUGA @ Genius Lab
Pdogg @ Dogg Bounce

Mix Engineer
Jordan "DJ Swivel" Young for DJ Swivel Music LLC

Magic Shop

망설인다는 걸 알아 진심을 말해도
결국 다 흉터들로 돌아오니까
힘을 내란 뻔한 말은 하지 않을 거야
난 내 얘길 들려줄게 들려줄게

내가 뭐랬어
이길 거랬잖아
믿지 못했어 (정말)
이길 수 있을까
이 기적 아닌 기적을
우리가 만든 걸까
(No) 난 여기 있었고
니가 내게 다가와준 거야
I do believe your galaxy
듣고 싶어 너의 멜로디
너의 은하수의 별들은
너의 하늘을 과연 어떻게 수놓을지
나의 절망 끝에
결국 내가 널 찾았음을 잊지마
넌 절벽 끝에 서 있던
내 마지막 이유야
Live.

내가 나인 게 싫은 날 영영 사라지고 싶은 날
문을 하나 만들자 너의 맘 속에다
그 문을 열고 들어가면 이 곳이 기다릴 거야
믿어도 괜찮아 널 위로해줄 Magic Shop

따뜻한 차 한 잔을 마시며
저 은하수를 올려다보며
넌 괜찮을 거야 oh 여긴 Magic Shop

So show me (I'll show you)
So show me (I'll show you)
So show me (I'll show you)
Show you show you

필 땐 장미꽃처럼
흩날릴 땐 벚꽃처럼
질 땐 나팔꽃처럼
아름다운 그 순간처럼
항상 최고가 되고 싶어
그래서 조급했고 늘 초조했어
남들과 비교는 일상이 돼버렸고
무기였던 내 욕심은 되려 날 옥죄고 또 목줄이 됐어
그런데 말야 돌이켜보니 사실은 말야 나
최고가 되고 싶었던 것이 아닌 것 같아
위로와 감동이 되고 싶었던 나
그대의 슬픔, 아픔 거둬가고 싶어 나

내가 나인 게 싫은 날 영영 사라지고 싶은 날
문을 하나 만들자 너의 맘 속에다
그 문을 열고 들어가면 이 곳이 기다릴 거야
믿어도 괜찮아 널 위로해줄 Magic Shop

따뜻한 차 한 잔을 마시며
저 은하수를 올려다보며
넌 괜찮을 거야 oh 여긴 Magic shop

So show me (I'll show you)
So show me (I'll show you)
So show me (I'll show you)
Show you show you

나도 모든 게 다 두려웠다면 믿어줄래
모든 진심들이 남은 시간들이
너의 모든 해답은 니가 찾아낸 이 곳에
너의 은하수에 너의 마음 속에

You gave me the best of me
So you'll give you the best of you
날 찾아냈잖아 날 알아줬잖아
You gave me the best of me
So you'll give you the best of you
넌 찾아낼 거야 네 안에 있는 galaxy

So show me (I'll show you)
So show me (I'll show you)
So show me (I'll show you)
Show you show you

Produced by Andrew Taggart, Pdogg
[Andrew Taggart, Pdogg, Ray Michael Djan Jr, Ashton Foster,
Sam Klempner, RM, "hitman"bang, SUGA, j-hope, ADORA]

Keyboard
Andrew Taggart
Pdogg

Synthesizer
Andrew Taggart
Pdogg

Guitar
Andrew Taggart
SHAUN

Bass
이주영

Chorus
Jung Kook
Ashton Foster
Sam Klempner

Vocoder
Pdogg

Vocal Arrangement
Pdogg
Slow Rabbit

Rap Arrangement
Slow Rabbit
Supreme Boi

Recording Engineers
Pdogg @ Geimori Studio & Cloud Lodge SAPPORO
Slow Rabbit @ Carrot Express
Supreme Boi @ The Rock Pit
Sam Klempner @ Schmuzik Studios in London
SHAUN @ 17-3

Mix Engineer
Jordan "DJ Swivel" Young for DJ Swivel Music LLC

Best Of Me

When you say that you love me
난 하늘 위를 걷네
영원을 말해줘 just one more time
When you say that you love me
난 그 한 마디면 돼
변하지 않는다고 just one more time

넌 내게 이 세계의 전부 같아
더 세게 아프게 날 꽉 껴안아

우리가 나눈 something
And you can't make it nothing
잊지 않아줬으면 해
넌 내

하루하루
여름, 겨울
넌 몰라도

You got the best of me
You got the best of me
So please just don't leave me
You got the best of me

나도 나의 끝을 본 적 없지만
그게 있다면 너지 않을까
다정한 파도고 싶었지만
니가 바다인 건 왜 몰랐을까
어떡해 너의 언어로 말을 하고
또 너의 숨을 쉬는데
I'll be you 날 쥐고 있는 너
난 너의 칼에 입맞춰

그러니 take my hand right now
이런 내가 믿기지 않아
속으로만 수천 번은 더 말했었던 그 말
그대는 날 떠나지 마
You got the best of me
You got the best of me
꿈인지 현실인지는 딱히 중요치 않지
그저 니가 내 곁에 있다는 게
Thanks

하루하루
여름, 겨울
넌 몰라도

You got the best of me
You got the best of me
So please just don't leave me
You got the best of me

넌 나의 구원 넌 나의 창
난 너만 있으면 돼
You got the best of me
니가 필요해
So please just don't leave me
You got the best of me

비가 내리던 나
눈이 내리던 나
모든 불행을 멈추고
천국을 데려와
쉽게 말하지 마
너 없는 난 없어
넌 내 best of me
The best of me

그냥 나에 대한 확신을 줘
그게 내가 바란 전부이니까
우리의 규율은 없다 해도
사랑하는 법은 존재하니까
Who got the best of me?
Who got the best of me?
누구도 몰라 but I know me
내 최고의 주인인 걸 넌

You got the best of me
You got the best of me
So please just don't leave me
You got the best of me

넌 나의 구원 넌 나의 창
난 너만 있으면 돼
You got the best of me
니가 필요해
So please just don't leave me
You got the best of me

When you say that you love me
난 하늘 위를 걷네
영원을 말해줘 just one more time
When you say that you love me
난 그 한 마디면 돼
변하지 않는다고 just one more time

Produced by Pdogg
(Pdogg, RM, Ali Tamposi, Liza Owen,
Roman Campolo, "hitman"bang, SUGA, j-hope)

Keyboard
Pdogg, "hitman"bang

Synthesizer
Pdogg

Chorus
Jung Kook, ADORA

Guitar
이태욱

Bass
이주영

Vocal Arrangement
Pdogg, Slow Rabbit

Rap Arrangement
Pdogg, Supreme Boi

Digital Editing
Pdogg, Hiss noise

Recording Engineers
Slow Rabbit @ Carrot Express
ADORA @ Adorable Trap
Pdogg @ Dogg Bounce
Supreme Boi @ The Rock Pit

Mix Engineer
Jaycen Joshua for The Penua Project @ Larrabee Sound Studios,
North Hollywood CA (Assisted by David Nakaj & Ben Milchev)

Administered by Reservoir Media Management, Inc. / Khingsize Ltd / Kobalt Songs Music Publishing

Airplane pt.2

이상한 꼬마
숨쉬듯 노래했네
어디든 좋아
음악이 하고 싶었네
오직 노래
심장을 뛰게 하던 thing
하나뿐이던
길을 걸었지만

쉽지 않아
실패와 절망
지친 날 누군가 불러 세워 건넨 말
You're a singing star
You're a singing star
But I see no star..
몇 년이 흘러가버린 뒤

[We still] Sky high, sky fly, sky dope
[We still] Same try, same scar, same work
[We still] 세상 어딜 가도
[We still] 호텔방서 작업
[I still] 하루는 너무 잘 돼 그 다음날은 망해
[I still] 오늘은 뭐로 살지 김남준 아님 RM?
스물다섯. 잘 사는 법은 아직도 모르겠어
그러니 오늘도 우리는 그냥 go

We goin' from NY to Cali
London to Paris
우리가 가는 그 곳이 어디든 party
El Mariachi
El Mariachi
El Mariachi

We goin' from Tokyo, Italy
Hong Kong to Brazil
이 세계 어디서라도 난 노래하리
El Mariachi
El Mariachi
El Mariachi
El Mariachi..

구름 위를 매일 구름 위를 매일
구름 위에 내 feel 구름 위에 check it
구름과의 케미 구름과 하루 종일
구름 타는 재미, 구름 보며 fade in
너흰 몰라 maybe
몇 년 동안의 비행 탓에
마일리지만 몇 십만 대
못 이룬 너희들을 위로해줄 때야
그 비행 포인트로 선물 할게
Love 에어플레인 모드 신경은 다 off
그 누구든지 뭐라던
그저 계속 퍼스트를 지키며
밤 하늘을 볼게 지금 내 자리에 맞춰

I don't know, I don't know, I don't know, I don't know
그래 멈추는 법도
I don't know, I don't know, I don't know, I don't know
그래 좀 쉬는 법도
I don't know, I don't know, I don't know, I don't know
실패하는 법도
I don't know, I don't know, I don't know, I don't know
TV 나와서 하는 귀여운
돈 자랑들은 fed up
여권은 과로사 직전
미디어의 혜택은 되려 너네가 받았지 깔깔깔깔
야 야 셀럽놀이는 너네가 더 잘해
우린 여전히 그때와 똑같어
Woo!

We goin' from Mexico City
London to Paris
우리가 가는 그 곳이 어디든 party
El Mariachi
El Mariachi
El Mariachi

We goin' from Tokyo, Italy
Hong Kong to Brazil
이 세계 어디서라도 난 노래하리
El Mariachi
El Mariachi
El Mariachi
El Mariachi..

Produced by Pdogg
(Pdogg, "hitman"bang, Supreme Boi)

Keyboard
Pdogg

Synthesizer
Pdogg

Bass
이주영

Chorus
Jung Kook
RM

Vocal Arrangement
Pdogg
Supreme Boi

Rap Arrangement
Supreme Boi

Recording Engineers
Pdogg @ Dogg Bounce
Supreme Boi @ The Rock Pit

Mix Engineer
Jaycen Joshua for The Penua Project @ Larrabee Sound Studios
North Hollywood CA (Assisted by David Nakaj & Ben Milchev)

고민보다 Go

DOLLAR DOLLAR
하루아침에 전부 탕진
달려 달려 내가 벌어 내가 사치
달려 달려 달려 달려
달려 달려

난 원해 cruisin' on the bay
원해 cruisin' like NEMO
돈은 없지만 떠나고 싶어 멀리로
난 돈은 없지만서도 풀고 싶어 피로
돈 없지만 먹고 싶어 오노 지로

열일 해서 번 나의 pay
전부 다 내 배에
티끌 모아 티끌 탕진잼 다 지불해
내버려둬 과소비 해버려도
내일 아침 내가 미친놈처럼
내 적금을 깨버려도

WOO 내일은 없어
내 미랜 벌써 저당 잡혔어
WOO 내 돈을 더 써
친구들 wussup
Do you want some?

DOLLAR DOLLAR
하루아침에 전부 탕진
달려 달려
man i spend it like some party
DOLLAR DOLLAR
쥐구멍 볕들 때까지
해가 뜰 때까지

YOLO YOLO YOLO YO
YOLO YOLO YO
탕진잼 탕진잼 탕진잼
YOLO YOLO YOLO YO
Where my money yah
탕진잼 탕진잼 탕진잼
YOLO YOLO YOLO YO
YOLO YOLO YO
탕진잼 탕진잼 탕진잼

YOLO YOLO YOLO YO
Where the party yah
탕진잼 탕진잼 탕진잼

Where my money yah?
Where the party yah?
내 일주일 월화수목 금금금금
내 통장은 yah
밑 빠진 독이야
난 매일같이 물 붓는 중

차라리 강 깨버려
걱정만 하기엔 우린 꽤 젊어
오늘만은 고민보단 Go해버려
쫄면서 아끼다간 똥이 돼버려
문대버려

DOLLAR DOLLAR
하루아침에 전부 탕진
달려 달려
man i spend it like some party
DOLLAR DOLLAR
쥐구멍 볕들 때까지
해가 뜰 때까지

YOLO YOLO YOLO YO
YOLO YOLO YO
탕진잼 탕진잼 탕진잼
YOLO YOLO YOLO YO
Where my money yah
탕진잼 탕진잼 탕진잼
YOLO YOLO YOLO YO
YOLO YOLO YO
탕진잼 탕진잼 탕진잼
YOLO YOLO YOLO YO
Where the party yah
탕진잼 탕진잼 탕진잼

고민보다 Go
고민보다 Go
고민보다 Go Go (Everybody!)
고민보다 Go

고민보다 Go
고민보다 Go
고민보다 Go Go (Everybody!)

고민보다 Go
고민보다 Go
고민보다 Go Go (Everybody!)

고민보다 Go
고민보다 Go
고민보다 Go Go (Everybody!)
고민보다 Go
고민보다 Go
고민보다 Go Go (Everybody!)

고민보다 Go
고민보다 Go
고민보다 Go Go (Everybody!)
고민보다 Go
고민보다 Go
고민보다 Go Go (Everybody!)

Produced by Pdogg
(Pdogg, Supreme Boi, "hitman"bang, RM, SUGA, Jinbo)

Keyboard
Pdogg

Synthesizer
Pdogg

Chorus
Supreme Boi, Jung Kook, ADORA

Vocoder
Supreme Boi

Vocal Arrangement
Pdogg

Rap Arrangement
Pdogg, Supreme Boi

Digital Editing
Pdogg, Supreme Boi, Hiss noise

Recording Engineers
Pdogg @ Dogg Bounce
Supreme Boi @ The Rock Pit
ADORA @ Adorable Trap

Mix Engineer
Jaycen Joshua for The Penua Project @ Larrabee Sound Studios,
North Hollywood CA (Assisted by David Nakaj & Ben Milchev)

Waiting for you Anpanman
Waiting for you Anpanman

내겐 없지 알통이나 갑빠
내겐 없지 super car like Batman
되게 멋진 영웅이 내 낭만
But 줄 수 있는 건 오직 Anpan
꿈꿔왔네 hero like Superman
힘껏 뛰었네 하늘높이 방방
무릎팍 까지는 것 따윈 두렵지 않아
순수한 내 어릴 적의 망상

I'm not a superhero
많은 것을 바라지마
I can be your hero
이런 말이 가당키나
한 일인지 모르겠어 정말
근데 꼭 해야겠어요 엄마
내가 아니면 누가할까
You can call me say Anpan

Waiting for you Anpanman
(Lemme hear ya say, lemme hear ya say)
Waiting for you Anpanman
(Turn it up, turn it up, turn it up)
좀 더 힘을 내볼래
(Lemme hear ya say, lemme hear ya say)
너의 힘이 돼줄래
(Turn it up, turn it up, turn it up)

계속 돌려 돌려 나의 Anpan
Keep ballin' ballin' still 방탄
눈 뜨니 hero but still in 미로
그 young man, young man, young man
계속 몰래 몰래 상처 만땅
But ballin' ballin' still 방탄
아파도 hero 두려움은 뒤로
Anpanman panman panman

I'm a new generation Anpanman
I'm a new superhero Anpanman
내가 가진 건 이 노래 한방
Lemme say "All the bad men, cop out"
I'm a new generation Anpanman
I'm a new superhero Anpanman
내가 가진 건 이 노래 한방
Lemme say "All the bad men, cop out"

가끔은 이 모든 게 두렵네
사랑하는 게 넘 많이 생겼기에
누군 말해 너도 이제 꼰대 다 됐으
자격 없어 그냥 하던 거나 잘 해
그래도 난 영웅이고파
줄 수 있는 건 단팥빵
과 수고했단 말뿐이다만
부름 바로 날라갈게
날 불러줘

Waiting for you Anpanman
(Lemme hear ya say, lemme hear ya say)
Waiting for you Anpanman
(Turn it up, turn it up, turn it up)
좀 더 힘을 내볼래
(Lemme hear ya say, lemme hear ya say)
너의 힘이 돼줄래
(Turn it up, turn it up, turn it up)

계속 돌려 돌려 나의 Anpan
Keep ballin' ballin' still 방탄
눈 뜨니 hero but still in 미로
그 young man, young man, young man
계속 몰래 몰래 상처 만땅
But ballin' ballin' still 방탄
아파도 hero 두려움은 뒤로
Anpanman panman panman

솔직하게
무서워 넘어지는 게
너희들을 실망시키는 게
그래도 내 온 힘을 다해서라도
나 꼭 너의 곁에 있을게
다시 넘어지겠지만
또다시 실수 하겠지만
또 진흙투성이겠지만
나를 믿어 나는 hero니까
Yeah yeah

돌려 돌려 나의 Anpan
Keep ballin' ballin' still 방탄
눈 뜨니 hero but still in 미로
그 young man, young man, young man
계속 몰래 몰래 상처 만땅
But ballin' ballin' still 방탄
아파도 hero 두려움은 뒤로
Anpanman panman panman

I'm a new generation Anpanman
I'm a new superhero Anpanman
내가 가진 건 이 노래 한방
Lemme say "All the bad men, cop out"
I'm a new generation Anpanman
I'm a new superhero Anpanman
내가 가진 건 이 노래 한방
Lemme say "All the bad men, cop out"

Produced by Pdogg
(Pdogg, Supreme Boi, "hitman"bang, j-hope, RM)

Keyboard
Pdogg

Synthesizer
Pdogg

Chorus
Jung Kook
Supreme Boi

Gang Vocal
RM
j-hope
Pdogg
Supreme Boi
KASS

Vocal Arrangement
Pdogg
Supreme Boi

Rap Arrangement
Pdogg

Recording Engineers
Pdogg @ Dogg Bounce
Supreme Boi @ The Rock Pit

Mix Engineer
Jaycen Joshua for The Penua Project @ Larrabee Sound Studios,
North Hollywood CA (Assisted by David Nakaj & Ben Milchev)

MIC Drop

Yeah 누가 내 수저 더럽대
I don't care 마이크 잡음 금수저 어럿 패
버럭해 잘 못 익은 것들 스테끼 여럿 개
거듭해서 씹어줄게 스타의 저녁에
World Business 핵심
섭외 1순위 매진
많지 않지 이 class 가칠 만끽
좋은 향기에 악췬 반칙
Mic mic bungee

Mic mic bungee
Bright light 전진
망할 거 같았겠지만 I'm fine, sorry
미안해 Billboard
미안해 worldwide
아들이 넘 잘나가서 미안해 엄마
대신해줘 니가 못한 효도
우리 콘서트 절대 없어 포도
I do it I do it 넌 맛없는 라따뚜이
혹 배가 아프다면 고소해
Sue it

Did you see my bag
Did you see my bag
트로피들로 백이 가득해
How you think bout that
How you think bout that
Hater들은 벌써 학을 떼

이미 황금빛 황금빛 나의 성공
I'm so firin' firin' 성화봉송
너는 황급히 황급히 도망 숑숑
How you dare
How you dare
How you dare

내 손에 트로피 아 너무 많아
너무 heavy 내 두 손이 모잘라
MIC Drop
MIC Drop
발 발 조심
너네 말 말 조심

Lodi dodi 아 너무 바빠
너무 busy 내 온몸이 모잘라
MIC Drop
MIC Drop
발 발 조심
너네 말 말 조심

이거 완전 네 글자
사필귀정 ah
Once upon a time
이솝우화 fly
니 현실을 봐라 쌔 쌤통
지금 죽어도 난 개행복
이번엔 어느 나라 가
비행기 몇 시간을 타
Yeah I'm on the mountain
Yeah I'm on the bay
무대에서 탈진
MIC Drop baam

Did you see my bag
Did you see my bag
트로피들로 백이 가득해
How you think bout that
How you think bout that
Hater들은 벌써 학을 떼

이미 황금빛 황금빛 나의 성공
I'm so firin' firin' 성화봉송
너는 황급히 황급히 도망 숑숑
How you dare
How you dare
How you dare

내 손에 트로피 아 너무 많아
너무 heavy 내 두 손이 모잘라
MIC Drop
MIC Drop
발 발 조심
너네 말 말 조심

Lodi dodi 아 너무 바빠
너무 busy 내 온몸이 모잘라
MIC Drop
MIC Drop
발 발 조심
너네 말 말 조심

Haters gon' hate
Players gon' play
Live a life. man
Good luck

더 볼 일 없어 마지막 인사야
할 말도 없어 사과도 하지 마
더 볼 일 없어 마지막 인사야
할 말도 없어 사과도 하지 마

잘 봐 넌 그 꼴 나지
우린 탁 쏴 마치 콜라지
너의 각막 깜짝 놀라지
꽤 꽤 폼나지 포 포 폼나지

Produced by "hitman"bang, Slow Rabbit
(Pdogg, "hitman"bang, KASS, Supreme Boi, SUGA, RM)

Keyboard
Slow Rabbit

Synthesizer
Slow Rabbit

Chorus
Jung Kook, Supreme Boi, KASS, 이신성

Guitar
이태욱

Bass
이주영

Gang Vocal
RM, j-hope, Pdogg, Supreme Boi, KASS

Vocal Arrangement
Pdogg

Rap Arrangement
Pdogg

Recording Engineers
Pdogg @ Dogg Bounce
정우영 @ Big Hit Studio
KASS @ Kass Cave
Supreme Boi @ The Rock Pit

Mix Engineer
박진세 @ Big Hit Studio

DNA
(Pedal 2 LA Mix)

첫눈에 널 알아보게 됐어
서롤 불러왔던 것처럼
내 혈관 속 DNA가 말해줘
내가 찾아 헤매던 너라는 걸

우리 만남은 수학의 공식
종교의 율법 우주의 섭리
내게 주어진 운명의 증거
너는 내 꿈의 출처
Take it take it
너에게 내민 내 손은 정해진 숙명

걱정하지 마 love
이 모든 건 우연이 아니니까
우린 완전 달라 baby
운명을 찾아낸 둘이니까

우주가 생긴 그 날부터 계속
무한의 세기를 넘어서 계속
우린 전생에도 아마 다음 생에도
영원히 함께니까

이 모든 건 우연이 아니니까
운명을 찾아낸 둘이니까
DNA

I want it this love I want it real love
난 너에게만 집중해
좀 더 세게 날 이끄네
태초의 DNA가 널 원하는데
이건 필연이야 I love us
우리만이 true lovers

그녀를 볼 때마다 소스라치게 놀라
신기하게 자꾸만 숨이 멎는 게 참 이상해 설마
이런 게 말로만 듣던 사랑이란 감정일까
애초부터 내 심장은 널 향해 뛰니까

걱정하지 마 love
이 모든 건 우연이 아니니까
우린 완전 달라 baby
운명을 찾아낸 둘이니까

우주가 생긴 그 날부터 계속
무한의 세기를 넘어서 계속
우린 전생에도 아마 다음 생에도
영원히 함께니까

이 모든 건 우연이 아니니까
운명을 찾아낸 둘이니까
DNA

돌아보지 말아
운명을 찾아낸 우리니까
후회하지 말아 baby
영원히
영원히
영원히
영원히
함께니까

걱정하지 마 love
이 모든 건 우연이 아니니까
우린 완전 달라 baby
운명을 찾아낸 둘이니까

La la la la la
La la la la la
우연이 아니니까

La la la la la
La la la la la
우연이 아니니까
DNA

Produced by Slow Rabbit
(Pdogg, "hitman"bang, RM)

Keyboard
Slow Rabbit

Synthesizer
Slow Rabbit

Guitar
이태욱

Bass
이주영

Chorus
Jung Kook, Supreme Boi

Vocal & Rap Arrangement
Pdogg

Digital Editing
Pdogg, Hiss noise, Supreme Boi

Recoding Engineers
Pdogg @ Dogg Bounce
정우영 @ Big Hit Studio

Mix Engineer
Yang Ga @ Big Hit Studio

FAKE LOVE
(Rocking Vibe Mix)

널 위해서라면 난
슬퍼도 기쁜 척 할 수가 있었어
널 위해서라면 난
아파도 강한 척 할 수가 있었어
사랑이 사랑만으로 완벽하길
내 모든 약점들은 다 숨겨지길
이뤄지지 않는 꿈속에서
피울 수 없는 꽃을 키웠어

I'm so sick of this
Fake Love Fake Love Fake Love
I'm so sorry but it's
Fake Love Fake Love Fake Love

I wanna be a good man just for you
세상을 줬네 just for you
전부 바꿨어 just for you
Now I dunno me, who are you?
우리만의 숲 너는 없었어
내가 왔던 route 잊어버렸어
나도 내가 누구였는지도 잘 모르게 됐어
거울에다 지껄여봐 너는 대체 누구니

널 위해서라면 난
슬퍼도 기쁜 척 할 수가 있었어
널 위해서라면 난
아파도 강한 척 할 수가 있었어
사랑이 사랑만으로 완벽하길
내 모든 약점들은 다 숨겨지길
이뤄지지 않는 꿈속에서
피울 수 없는 꽃을 키웠어

Love you so bad Love you so bad
널 위해 예쁜 거짓을 빚어내
Love it's so mad Love it's so mad
날 지워 너의 인형이 되려 해
Love you so bad Love you so bad
널 위해 예쁜 거짓을 빚어내
Love it's so mad Love it's so mad
날 지워 너의 인형이 되려 해

I'm so sick of this
Fake Love Fake Love Fake Love
I'm so sorry but it's
Fake Love Fake Love Fake Love

Why you sad? I don't know 난 몰라
웃어봐 사랑해 말해봐
나를 봐 나조차도 버린 나
너조차 이해할 수 없는 나
낯설다 하네 니가 좋아하던 나로 변한 내가
아니라 하네 예전에 니가 잘 알고 있던 내가
아니긴 뭐가 아냐 난 눈 멀었어
사랑은 뭐가 사랑 It's all fake love

(Woo) I dunno I dunno I dunno why
(Woo) 나도 날 나도 날 모르겠어
(Woo) I just know I just know I just know why
Cuz it's all Fake Love Fake Love Fake Love

Love you so bad Love you so bad
널 위해 예쁜 거짓을 빚어내
Love it's so mad Love it's so mad
날 지워 너의 인형이 되려 해
Love you so bad Love you so bad
널 위해 예쁜 거짓을 빚어내
Love it's so mad Love it's so mad
날 지워 너의 인형이 되려 해

I'm so sick of this
Fake Love Fake Love Fake Love
I'm so sorry but it's
Fake Love Fake Love Fake Love

널 위해서라면 난
슬퍼도 기쁜 척 할 수가 있었어
널 위해서라면 난
아파도 강한 척 할 수가 있었어
사랑이 사랑만으로 완벽하길
내 모든 약점들은 다 숨겨지길
이뤄지지 않는 꿈속에서
피울 수 없는 꽃을 키웠어

B - 09

MIC Drop
(Steve Aoki Remix) (Full Length Edition)

Produced by Steve Aoki
(Steve Aoki, Pdogg, Supreme Boi, "hitman"bang,
j-hope, RM, Tayla Parx, Flowsik, Shae Jacobs)

Keyboard
Steve Aoki

Synthesizer
Steve Aoki, Pdogg

Additional Production
Pdogg

Chorus
Jung kook, Supreme Boi

Gang Vocal
Pdogg, Supreme Boi, DOCSKIM, Hiss noise

Vocal Arrangement
Supreme Boi

Rap Arrangement
Pdogg

Recording Engineers
Pdogg @ Dogg Bounce
Supreme Boi @ The Rock Pit

Mix Engineer
Jaycen Joshua for The Penua Project @ Larrabee Sound Studios,
North Hollywood CA (Assisted by David Nakaj & Ben Milchev)

Yeah 누가 내 수저 더럽대
I don't care 마이크 잡음 금수저 여럿 패
버럭해 잘 못 익은 것들 스테끼 여러 개
거듭해서 씹어줄게 스타의 저녁에
World Business 핵심
섭외 1순위 매진
많지 않지 이 class 가칠 만끽
좋은 향기에 악취 반칙
Mic mic bungee

Mic mic bungee
Bright light 전진
망할 거 같았겠지만 I'm fine, sorry
미안해 Billboard
미안해 worldwide
아들이 넘 잘나가서 미안해 엄마
대신해줘 니가 못한 효도
우리 콘서트 절대 없어 포도
I do it I do it 넌 맛없는 라따뚜이
혹 배가 아프다면 고소해
Sue it

Did you see my bag?
Did you see my bag?
It's hella trophies and it's hella thick

What you think bout that?
What you think bout that?
I bet it got my haters hella sick

Come and follow me follow me with your signs up
I'm so firin' firin' boy your time's up

Keep on and runnin' and runnin' until I catch up

HOW YOU DARE
HOW YOU DARE
HOW YOU DARE

Another trophy
My hands carry 'em
Too many that I can't even count 'em

MIC Drop MIC Drop
발발 조심 너네 말말 조심

Somebody stop me
I'm bouta pop off
Too busy you know my body ain't enuff

MIC Drop MIC Drop
발발 조심 너네 말말 조심

Baby, watch your mouth
It come back around
Once upon a time
We learnt how to fly
Go look at your mirror
Same damn clothes
You know how I feel
개행복
How many hours do we fly
I keep on dreamin' on the cloud
Yeah I'm on the mountain
Yeah I'm on the bay
Everyday we vibin'
MIC Drop Baam

Did you see my bag?
Did you see my bag?
It's hella trophies and it's hella thick

What you think bout that?
What you think bout that?
I bet it got my haters hella sick

Come and follow me follow me with your signs up
I'm so firin' firin' boy your time's up

Keep on and runnin' and runnin' until I catch up

HOW YOU DARE
HOW YOU DARE
HOW YOU DARE

Another trophy
My hands carry 'em
Too many that I can't even count 'em

MIC Drop MIC Drop
발발 조심 너네 말말 조심

Somebody stop me
I'm bouta pop off
Too busy you know my body ain't enuff

MIC Drop MIC Drop
발발 조심 너네 말말 조심

Haters gon' hate
Players gon' play
Live a life, man
Good luck

더 볼 일 없어 마지막 인사야
할 말도 없어 사과도 하지 마
더 볼 일 없어 마지막 인사야
할 말도 없어 사과도 하지 마

잘 봐 넌 그 꼴 나지
우린 탁 쏴 마치 콜라지
너의 각막 깜짝 놀라지
꽤 꽤 폼나지

가장 먼저 이 앨범을 들어주시는 모든 이유인 여러분, 감사합니다.
아미는 제게 가장 특별한 분들입니다.

저의 모든 가족, 친척, 친구들, 형 누나 동생들, 빅히트의 모든 직원 분들,
안팎으로 저희를 함께 만들어가주시는 모든 스텝 식구 분들께 감사를 전합니다.

'Love Yourself'라는 키워드에 스스로를 대입시키고 동일시하며
어떤 앨범보다 더 집중할 수 있었던 이유는,
지금 이 편지를 보고 계시는 바로 여러분,
제가 저를 사랑할 수 있도록 도와주시고 따뜻한 말과 마음을 전해주시는 여러분 덕분입니다.
그 모든 분들께 가장 큰 사랑과 감사를 전합니다.

제 말들이, 제 목소리가 여러분의 순간순간에 짧은 실낱으로나마 흩날릴 수 있다면
그것으로 저는 충분합니다.
오늘도 저는 어제보다 저를 더 사랑하겠습니다.

정말 고맙습니다.

저희 앨범을 만드는데 도움을 주신 모든 분들께 감사 인사를 드립니다.
그리고 우리 가족 변함없이 저 사랑해줘서 너무 고마워요.
그리고 우리 아미이이이 항상 감사 인사를 하지만 매번 어떻게 인사를 해야 될지 모르겠어요.
그냥 이번엔 너무 고맙고 사랑한다고만 얘기하고 싶어요. 진심이에요. 너무 고맙고 사랑합니다.
아미.

이번 앨범을 만드는데 도움을 주신 많은 분들께 감사의 인사 드립니다.
무엇보다 아미! 항상 지치고 힘들 때 과연 무엇을 위해 노래하고 무대를 하나
곰곰이 생각을 해보게 됩니다.
답은 언제나 여러분 입니다.
저희를 기다려주시는 많은 아미 여러분 덕분에
이렇게 움직이고 노래할 수 있는 것 같습니다.
다시 한번 감사하고 사랑한다는 말씀 드리고 싶습니다.
언제나 좋은 음악과 좋은 무대로 보답하겠습니다.
감사합니다.

짧다면 짧은 시간 속
이번 리패키지 앨범이 나오기까지
고생해주시고 감사한 분들이 많습니다.
매 앨범마다 인사를 놓칠 수 없는 그분들께
이번에도 감사를 표합니다.

일단 앨범을 제작하고 발매하게 해주신 그리고 모든 과정의 큰 축, 우리의 가족!!
빅히트 식구분들께 큰 감사의 인사를 드리고 싶고
늘 방탄소년단을 더욱더 빛나게 해주시는 우리 스태프분들까지
방탄소년단을 위한 여러분들의 노고와 열정에 늘 고개를 숙여 인사 드립니다.

나를 이 세상에 사랑받을 수 있는 존재로 태어나게 해주신 우리 엄마 아빠,
늘 힘이 되어주는 누나, 옷게 만들어주는 미키까지 고맙습니다.

그리고 방탄소년단 멤버들!!! 그들이 옆에 있기에 두렵지 않습니다!! 사랑합니다.

마지막으로 아미!!! 당신들은 지금의 방탄소년단이 있을 수 있는 가장 큰 이유이고,
앨범을 만들 때 가장 큰 원동력입니다. 진심을 담아 사랑과 감사를 드립니다.

이번 앨범이 나올 수 있게 도와주신 방피디님을 비롯한 회사 식구분들, 프로듀서 식구 분들,
헤어, 메이크업, 스타일리스트 스텝분들 그리고 룸펜스 감독님과 현우 감독님, 김희준 실장님께
진심으로 감사하다는 말씀 전해드리고 싶습니다.
항상 준비된 모습으로 팬 분들께 비춰지고 싶어하는 저희를 이렇게 만들어 주시는 게
다 여러분들이 저희 옆에 계셨기 때문에 가능한 겁니다.
이번 앨범을 작업하면서 저희 옆에서 고생하시는 여러분을 보면서 마음이 많이 좋지 않았던 것 같아요.
그래서 더 좋은 가수가 되고 싶고 더 위로 올라가고 싶다는 생각을 많이 하게 된 것 같아요.
옆에서 여러분께서 힘이 되어 주시는 만큼 더 위로 올라 갈 수 있게 저희도 항상 준비하겠습니다.
항상 감사합니다.

방탄소년단 멤버들.
사랑하는 우리 멤버들. 여러분이 힘들면 저도 힘들고 여러분이 행복하면 저도 행복하고
여러분이 더 잘하고 싶다는 욕심이 가득하면 저도 더 잘하고 싶어지는 것 같아요.
항상 팬분들께 더 가까이 가고 싶어하는 모습 그리고,
더 잘하고 싶어하는 모습 보면서 힘이 되어주고 싶다는 생각을 항상 많이 하게 됩니다.
언제나 힘 냈으면 좋겠고, 행복했으면 좋겠고, 더 단단해졌으면 좋겠습니다.
사랑합니다.

ARMY 여러분.
이번 앨범을 작업하면서 지금까지 우리 음악을 들어주시는 분들이 있어서 참 행복하다는 생각을 많이 했었어요.
그래서 뭔가 앞으로 저의 마음을 많이 담은 곡들을 꼭 들려드리고 싶다는 생각을 많이 했습니다.
앞으로 더 좋은 목소리를 담아서 여러분께 더 좋은 음악을 들려드릴 수 있게 항상 노력하겠습니다.
저희 음악을 들어주셔서, 저희를 기다려주시고 응원해주셔서 항상 감사하고 사랑합니다.

아미에게 얘기하고 싶어요.

항상 힘이 되어주고 날개가 되어 날 수 있게 해주고 응원으로 우리들을
좋은 곳에 올려줘서 너무 고마워요. 살면서 평생 못 잊을 거 같아요.
활동으로 인해 내가 정말 많은 사람들에게 사랑 받고 있구나를 다시 한번 느꼈어요.
정말 활동 첫 주 만에 스트레스 해소가 되고 마음이 치유되는 것 같았어요.
나쁜 건 다 날아가 버린 기분이에요.
우리 아미 분들이 해주시는 여러 말 중에 이런 말이 있어요.

항상 걱정 없이 하루를 보내주고 싶은데
오늘만큼은 조금 더 편안한 잠을 자게 해주고 싶은데
내일 아침 일어났을 때 상쾌한 아침을 맞이해주고 싶은데 매번 못해줘서 미안해요 라는 말이 있는데
하!!! 오히려
아미 덕분에 마음이 편안하고 상쾌한 아침을 맞이하는 거 같아요.
진짜! 덕분에 잘 잡니다! 걱정 마십쇼!
우리 아미들 편지 보면 마음씨가 막 어우.. 흐흐 후
고마워요 많이 사랑해줘서~~
빅히트도 너무 고맙고 응원해준 하나뿐인 우리 가족들도 너무 고맙고
내 지인. 우리 형님. 누님, 친구들도 너무 고맙고
우리 사랑스러운 멤버들도 아프지 않아줘서 너무 고마워요!!!
아미 헷! 오늘은 달이 너무 예쁘네요.
부디 오늘 그대의 꿈에 아름답고 행복했던 추억의 순간들이 내려갈길 바라요.
내 하얀 백지에 시작한 이야기의 주인공들 잘 자요~♥ 보라 해

우리 빅히트 회사 식구 분들!
앨범을 내고 난 뒤 얼마 지나지 않아 이렇게 또 땡스투를 씁니다.
제가 하고 싶은 말은 항상 똑같은 것 같아요.
저희가 일하고 있을 때 뒤에서 더 많고 복잡하고 힘든 일을 해주시고
또 현장에 나와 옆에서 같이 고생해주시고 힘이 돼주셔서 정말 감사 드려요.
매니저 형님들은 특히 더 고맙고 미안해요! ㅠ
정말 감사드려요. 저희도 더 열심히 하겠습니다!

우리 스탭들!
저희가 있는 곳이면 어디든지 함께하는 우리 스탭들!
출근과 퇴근을 같이 하는 우리 스탭들!
너무너무 고맙고 앞으로도 같이 했으면 좋겠어요.
항상 고생이 많습니다. 진짜 고마워요!

아미!
리팩으로 찾아왔습니다!!!
최대한 빨리 나오려고 했고 투어 전 앨범이라 열심히 준비했어요!
제가 지금 하고 싶은 말은 일단 너무 고맙고
요즘 아미들 때문에 많이 행복해요. 너무 고마워요.
그러니까 아미도 꼭 꼭 꼭 행복했으면 좋겠어요.
저희 때문이면 더 좋고 저희가 아니더라고 그냥 행복했으면 좋겠어요. 진짜..!
행복한 하루하루가 가득하길!!!
아미 사랑해

Credits

EXECUTIVE PRODUCER	"HITMAN"BANG FOR BIGHIT ENTERTAINMENT
EXECUTIVE SUPERVISOR	NINE CHOI
ARTIST MANAGEMENT DEPT.	김신규, 송호범, 이정일, 김세진, 김수빈, 김재형, 방민욱, 오광택, 이성석, 이중민, 한상훈
A&R PART	NICOLE KIM, 이주영, 최승린, 김서영, 박지원, 안인용, 이아람, 임지연
STUDIO PART	양창원, 박진세, 정우영
PUBLISHING PART	김민지
PERFORMANCE DIRECTING PART	손성득, 이가헌, 이병은
VISUAL CREATIVE TEAM	김성현, 이선경, 김가은, 윤지현, 이혜리, 이현주, GABRIEL CHO
BUSINESS DIVISION	LENZO YOON
GLOBAL BUSINESS DEPT.	DJ KIM, 박꽃하얀, 박희순, 강예리, 권진아, 강경진, 김정우, 박민선, 배성호, 오영환, 윤지선, 이랑, 이인혜, 임혜정
CONTENT BUSINESS DEPT.	방우정, 김수린, 길현지, 김분홍, 김지현, 신재은, 신혜리, 이지은, 인나엽
COMMUNICATION DEPT.	이진형, 정진호, 홍주원, 김민아, 오민주, 위지은, 이승아, 임혜미, 정효진, 조이, 최보윤
STRATEGIC PLANNING PART	송상현
PLATFORM SERVICE DEPT.	서우석, 배상훈, 김준기, 김보라, 김윤진, 박수연, 박온누리, 이유리, 전샛별
IP BUSINESS DEPT.	하세정, 김부경, 김현선, 윤재용
JAPAN OFFICE	이명학, 노세원, 류무열, 이혁, TAKANO, 허윤영
JAPAN BUSINESS SUPPORT PART	신효진
ARTIST DEVELOPMENT DEPT.	신선정, 김두숙, 김미정, 권세라, 김강, 이소현, 장혜수, 최미령, 홍승우
FINANCE & ACCOUNTING TEAM	권용상, 홍혁기, 곽채은, 권은상, 김준호, 이은정
LEGAL AFFAIRS PART	김동현, 김학주
PEOPLE DEPT.	임재동, 김명진, 강민주, 김정욱, 박건호, 지준수
MANAGEMENT PLANNING PART	김문영, 김호민, 이강하
PM PART	성보라, 최지이

PRODUCER	PDOGG
CO-PRODUCER	"HITMAN" BANG
MASTERING ENGINEERS	Randy Merrill @ Sterling Sound, New York, USA
	Chris Gehringer @ Sterling Sound, New York, USA
PHOTO	김희준, 박자욱
MUSIC VIDEO	LUMPENS
STYLIST	이하정
ASSISTANT STYLIST	이서영, 이서인, 이민규, 홍실
HAIR	박내주, 김지혜, 서진영
MAKE UP	김다름
ASSISTANT MAKE UP	백현아, 배민아
ART WORK	HuskyFox
OFFICIAL WEBSITE	http://bts.ibighit.com/
OFFICIAL FACEBOOK	https://www.facebook.com/bangtan.official
OFFICIAL TWITTER	https://twitter.com/BTS_bighit
BTS TWITTER	http://twitter.com/BTS_twt
OFFICIAL YOUTUBE	https://www.youtube.com/user/BANGTANTV
OFFICIAL INSTAGRAM	https://www.instagram.com/bts.bighitofficial
OFFICIAL WEIBO	http://weibo.com/BTSbighit